*Merci de tout cœur à Diane
et à mes garçons, Félix et Hubert,
pour votre enthousiasme et
vos observations justes et éclairées.
Sans vous, ce livre n'aurait
pas eu la même couleur.*

É. P.

ÉTIENNE POIRIER

TRISTAN au PAYS des GÉANTS

Illustrations : Sabrina Gendron

Dominique et compagnie

Les personnages

Moi,
Tristan

Cacendre
Lajoie

Merlin

Maxime
Druon

Madame
Manon

Mes parents

Un autre monde

Avant, j'habitais une maison
dans un quartier que
je connaissais bien. Il y avait un parc
au coin de la rue avec tout plein
de visages familiers. Les gens me
souriaient quand je criais « Plus haut !
Plus haut ! » à maman qui me poussait
sur la balançoire, mais ça, c'était
il y a longtemps. Je connaissais
même le nom des chiens de tout
le voisinage. Je me trouvais partout

chez moi. En première année, j'étais dans la classe de madame Maryse, en deuxième dans celle de madame Josée et l'an dernier, monsieur Jérôme était mon enseignant. Cette année, j'aurais dû être dans celle de madame Marie-France…

Mais, je n'étais plus chez moi nulle part.

Le jour de notre déménagement, une fois notre maison entièrement vidée, maman a proposé :

– Pendant que les hommes vont décharger le camion avec papa, toi et moi, on va en profiter pour se promener dans notre nouveau quartier.

Je suis monté dans la voiture,
tournant le dos à mon ancienne vie.
Au bout d'une demi-heure,
j'ai eu l'impression d'avoir changé
de planète. Rien, dans les rues,
sur les façades des maisons et
des commerces, ne me rappelait
quoi que ce soit. Même les arbres,
que je voyais défiler par la fenêtre,
me semblaient appartenir à un autre
monde. Les oiseaux chantaient
des chansons étranges.

Quand nous sommes arrivés dans
la nouvelle maison, on en a fait
le tour en évitant les boîtes laissées
çà et là par les déménageurs. Il y en
avait partout, dans les marches
et dans les couloirs, jusque dans

ma chambre. C'est d'ailleurs là que notre promenade s'est terminée.

Assise sur mon lit, maman a tapoté le matelas à côté d'elle, et m'a dit :

– Viens t'asseoir, mon petit loup.

Je me suis assis à la place qu'elle me désignait et je l'ai écoutée :

– Demain, c'est la rentrée. Tu vas découvrir ta nouvelle école et te faire de nouveaux amis. Peut-être qu'au début, tu seras timide et que Pierre-Luc, Jonathan et Xavier vont te manquer. Mais rapidement, tous ces garçons et ces filles que tu ne connais pas encore auront la chance de découvrir à quel point tu es un garçon merveilleux !

Elle a toujours les bons mots,
ma mère.

J'étais inquiet, mais j'ai souri
quand même un peu.

Puis, elle a ouvert une boîte
sur laquelle était tracée une couronne
au feutre noir. Elle en a tiré Perceval,
mon ours en peluche. Ce sont mes
grands-parents qui me l'ont offert et,
longtemps, j'ai dormi avec lui. Ça me
rassurait. Mais j'ai grandi et j'ai fini
par lui faire une place sur l'étagère
de mon ancienne chambre pour
qu'il continue de veiller sur moi.

Perceval avait fait le voyage
jusqu'ici au fond de son habitacle
en carton. Je lui avais collé un long
bisou entre les deux yeux et je l'avais

placé moi-même dans cette boîte
avant le départ.

– Ne t'inquiète pas, que je lui avais
dit pour le rassurer, ce ne sera pas
très long. Tu vas voir, notre nouvelle
vie sera super !

Je lui avais répété les mots que mes
parents m'avaient dits au moins cent
fois, puis j'avais refermé la boîte.
Mais je ne croyais pas tellement
ce que je disais. Moi, j'étais très
angoissé à l'idée de devoir apprivoiser
ce nouvel univers.

J'ai brossé mes dents et j'ai mis
mon pyjama. Quand je suis retourné
dans ma chambre, ma mère était
toujours là. Elle s'est allongée à côté
de moi et, ensemble, on a regardé

le plafond. La lumière de ma lampe
de chevet y dessinait une lune dorée.

– Tu sais, a murmuré maman, demain
sera le début d'une nouvelle aventure.
Tout un monde de merveilles
t'attend et ce sera à toi d'en
découvrir la magie.

Puis, elle m'a raconté une histoire
– un récit avec des chevaliers
chasseurs de dragons géants
et des magiciens – que je n'ai pas
tellement écoutée, je dois l'avouer.
J'étais bien trop occupé à fixer
la fausse lune au-dessus de moi.

CHAPITRE 2

Dans l'antre de l'ogre

L e soleil du matin a frappé
à ma fenêtre avec douceur, mais ça
n'a pas suffi à me tirer du sommeil.

Maman est venue me réveiller.

– Coucou, mon petit loup !

Elle m'appelle souvent comme ça :
je suis son petit loup. Je ne sais pas
trop pourquoi. Peut-être à cause
de ma taille ou bien parce
que je veux toujours être avec

mes amis – les loups, c'est bien connu, se tiennent en bande…

– C'est le temps de te lever! Aujourd'hui, c'est un grand jour!

Grand jour, tu parles!

Comme si se présenter seul dans un endroit inconnu, avec sur le dos un sac trop lourd et aux pieds des chaussures trop neuves pour pouvoir courir, avait quelque chose d'extraordinaire!

N'empêche, j'ai fait un effort pour avaler toutes mes céréales, même si j'avais la gorge serrée. Puis, ç'a été le rituel du matin – brossage de dents, quelques coups de peigne, un peu de gel – et nous sommes sortis, ma mère et moi.

Ma nouvelle maison est à deux pas de ma nouvelle école. Bien sûr, j'exagère un peu. Il faudrait en effet faire de très grands pas pour n'en faire que deux, mais je veux dire par là qu'elle est toute proche.

Nous avons parcouru la distance en quelques minutes. Quand nous sommes arrivés dans la cour, ma gorge s'est nouée davantage : il y avait plein de monde et je ne connaissais personne. Pas le moindre visage familier ni quelqu'un qui semble me reconnaître… J'allais me noyer dans une mer d'inconnus.

Des enfants criaient de joie et couraient partout. On entendait même de la musique. Les parents échangeaient des nouvelles en parlant fort et en s'esclaffant. Les amis étaient heureux de se retrouver après les longues vacances et reprenaient leurs jeux là où ils les avaient laissés en juin.

Les miens, mes jeux et mes amis, je les avais laissés à mon ancienne école…

Le directeur, monsieur Justin, a prononcé un discours de bienvenue, puis il a fait l'appel des élèves.

Le cœur battant, je me suis détaché de ma mère. Ça m'a demandé du courage, mais je suis allé rejoindre mon groupe. Ma nouvelle enseignante m'a souri gentiment quand j'ai pris place parmi

le troupeau d'enfants. Madame
Manon est une grande femme.
Les élèves de ma classe aussi sont
grands. Pas mal plus que moi, en tout
cas. C'est vrai que je suis petit.
J'ai toujours été parmi les premiers
dans les rangs. Mais ici, je serai
le tout premier, c'est certain.

En entrant dans notre local, j'ai
tout de suite remarqué qu'un carton
de couleur était disposé sur chaque
pupitre. Madame Manon nous
a invités à nous asseoir à l'endroit
qu'elle montrait du doigt lorsqu'elle
nous nommait. Ma place est
au premier rang, juste devant le grand
bureau de mon enseignante.
Et le carton sur mon pupitre

est rouge. Il y a quatre rangées
de cinq tables. Ça fait donc vingt
places. Je les ai comptées dans
ma tête, pour étouffer le bruit
des battements de mon cœur : *boum !*
boum ! Un, deux, trois, quatre, cinq,
boum !… jusqu'à vingt.

Madame Manon a saisi mon carton.
Elle a dit, en balayant la classe
du regard :
– Sur ce bristol, tu vas écrire
ton nom. Tu pourras aussi
le personnaliser, si tu veux. Tu peux
y faire des dessins, y écrire des mots
ou même coller des autocollants.
C'est ton carton à toi. Fais-le comme
tu l'aimes, ça me permettra de mieux
te connaître.

Elle donnait ses explications
en marchant entre les pupitres.
Elle a parlé à tout le groupe en disant
« tu ». Ça m'a fait rire qu'elle dise
« tu » au lieu de « vous ». La première
fois qu'elle l'a dit, ça m'a surpris.
La deuxième fois, je me suis
demandé si j'avais bien entendu,
la troisième fois, j'ai souri et
la quatrième fois, j'ai franchement
éclaté de rire. Et c'est à ce moment
précis que le garçon à ma droite
m'a lancé :
– Qu'est-ce qui te fait rire,
le Nouveau ?

Il me toisait d'un œil sévère et,
disons-le, plutôt méchant. Juste
au moment où j'allais lui expliquer

la raison de mon fou rire, madame
Manon est intervenue :

– Qu'est-ce qui se passe, les garçons ?

Je n'ai pas eu le temps de répondre.

– Rien, a répondu mon voisin.

Et elle a continué ses explications.

Ce garçon m'a fait peur, je l'avoue.
Non pas que je sois un peureux, mais
je ne m'attendais pas à ce qu'on
s'adresse à moi sur ce ton hargneux.

Quand l'enseignante a eu fini
de parler, j'ai sorti mes crayons
de couleur. J'adore dessiner.
Monsieur Jérôme n'arrêtait pas
de me féliciter pour mes jolis dessins
et ma calligraphie. Je voulais
impressionner ma nouvelle
enseignante. Marquer un point dès

le premier jour. Comme dit mon père,
je voulais «faire une bonne première
impression». Alors, une à une,
j'ai tracé avec application les lettres
de mon nom sur le carton rouge.

J'ai entendu rigoler sur ma gauche.
J'ai tourné la tête. Une fille blonde
me regardait d'un air narquois,
en tirant la langue sur le côté.
À ma droite, il y a eu un ricanement.
Mon voisin grimaçait, la langue
pendante. Une seconde plus tard,
tous les élèves de la première rangée
m'imitaient en riant. C'est vrai que
je sors parfois la langue quand je me
concentre, mais je ne suis pas le seul!
Dans mon autre école, nous étions
plusieurs à le faire dans mon groupe!

Mais ici, dans cette classe-ci,
on se moquait ouvertement de moi !
Je me suis levé pour protester,
mais au lieu de prononcer des mots,
ma bouche s'est tordue et s'est mise
à trembler. À ma grande honte,
mes yeux se sont remplis de larmes.

Soudain, sans que je puisse
les retenir, mes jambes se sont mises
à courir et je me suis retrouvé
dans le corridor. Honteux, humilié
par l'incident, j'ai cherché les toilettes
afin de m'y réfugier, mais je ne les ai
pas trouvées.

Cette école était bien trop grande !
J'ai compté des portes par centaines !

Hors d'haleine, j'ai finalement cessé
de courir et me suis accroupi

derrière un bac à recyclage pour
me cacher et reprendre mon souffle.

De part et d'autre, le corridor
désert semblait s'étirer sur
des kilomètres, je n'en avais jamais vu
de si long.

Madame Manon m'appelait.
Mon nom résonnait entre les murs
du couloir.

Je suis resté parfaitement immobile.
Je ne voulais surtout pas qu'elle me
trouve.

Mais j'ai entendu le claquement sec
de ses talons se rapprocher de moi…
Quand l'enseignante est arrivée
à ma hauteur, elle s'est arrêtée net.
Son ombre m'a recouvert, elle avait

une taille gigantesque. J'étais
le Petit Poucet dans l'antre de l'ogre.

Et l'ogre m'avait trouvé…

Madame Manon s'est penchée
vers moi. J'ai baissé la tête, pour
éviter de croiser son regard.
Elle m'a parlé. Doucement.
Je l'ai écoutée sans répondre.
Puis, elle a terminé en disant :
– Allez, viens avec moi, je vais
te conduire au bureau de monsieur
Justin. La secrétaire va appeler
ta mère pour qu'elle passe
te chercher. Ce n'est pas facile
d'arriver dans une nouvelle école,
mais je suis certaine que tu vas
t'habituer. Il faut juste un peu
de temps.

Et elle m'a tendu sa main pour
que je la prenne.

Ce matin, madame Manon ne
m'avait pas paru si grande, mais là,
en marchant à ses côtés, je devais
sautiller sur la pointe des pieds
pour ne pas lui glisser des doigts.

La pièce où elle m'a laissé était
vaste et meublée d'une grande table
derrière laquelle trônait
une secrétaire très vieille.
Sur sa droite, il y avait une porte
close où était inscrit le nom
du directeur. Dès que mon
enseignante a tourné les talons,
la secrétaire a téléphoné à la maison.
Après avoir échangé quelques mots
avec maman, elle a déclaré :

– La cloche va sonner dans quelques minutes. Si tu veux, on va attendre ta mère ensemble.

J'ai fait oui de la tête, puis elle m'a offert une sucette, un bonbon si gros que j'ai eu du mal à le mettre dans ma bouche.

CHAPITRE 3

Oublier

L e chemin du retour m'a paru plus long que l'aller. J'avais l'impression que là où j'avais fait un pas le matin, je devais maintenant en faire deux. Les arbres étiraient leurs bras gigantesques vers le ciel et les ombres qui se découpaient sur le sol me paraissaient plus noires que d'habitude. Même les voitures stationnées au bord de la rue semblaient avoir grandi.

Une fois à la maison, maman
m'a servi un grand verre de lait
avec un gros biscuit à l'avoine
et aux raisins secs. Elle m'a regardé
manger en silence. Elle a de beaux
yeux tendres, ma mère.
– Tu sais que je t'adore. Tu es
mon petit loup à moi. Allez,
raconte-moi ta matinée.

Je savais que la secrétaire
de monsieur Justin lui avait déjà dit
à demi-mot dans quel état
on m'avait trouvé, mais je n'avais pas
trop envie de parler des moqueries
de mes camarades de classe.
Tout ce que je voulais, c'était
oublier cet affreux moment.
Alors j'ai simplement répondu :

– C'était chouette.

Son regard s'est voilé. Elle était
déçue que je ne lui dise pas la vérité,
mais elle n'a pas insisté.

J'ai passé l'après-midi à aider
maman à aménager notre nouvelle
maison. Nous avons fixé des cadres
aux murs et placé des livres
et des bibelots sur les tablettes
de la bibliothèque.

Plus tard, mon père est rentré
du travail. Dehors, il s'était mis
à pleuvoir à grosses gouttes et
il était trempé. Il a accroché sa veste
dégoulinante à la patère, puis il est
venu nous rejoindre. L'espace
d'un moment, j'ai oublié les tracas
de la journée. Nous discutions

gaiement tous les trois en déballant les différents objets des boîtes en carton. Devait-on placer le souvenir des vacances à la plage à gauche ou à droite de la photo de notre visite au zoo ? Et ce tableau ? Un peu plus haut ? Un peu plus bas ? En quelques instants, tout était installé et le salon était impeccable.

Maman et papa ont préparé le souper. Moi, j'ai regardé une émission à la télé.

On a mangé des nouilles au fromage. Avec du brocoli. J'aime bien les pâtes. Mais je déteste le brocoli. Alors, ça n'a étonné personne que je le laisse sur le bord de mon assiette.

Papa avait l'air enchanté. Il parlait et gesticulait en mangeant. «Tu ne devineras jamais…», qu'il disait, «et le plus beau dans tout ça, c'est que…» et il continuait comme ça. Quand il m'a demandé comment ma rentrée à l'école s'était passée, je n'ai pas voulu gâcher sa bonne humeur. J'ai simplement répondu :
— Bien…

Après, je suis vite monté me coucher. Tout était redevenu calme et, dans le silence, mes inquiétudes ont recommencé à me hanter. Quand maman est venue me rejoindre, j'avais encore une fois les yeux perdus dans la lune de mon plafond. Elle a lu un peu avec moi,

elle m'a embrassé, puis elle est partie
en me souhaitant une bonne nuit.
Je n'ai pas trouvé tout de suite
le sommeil. Je me sentais seul
et vulnérable. Sans trop comprendre
pourquoi, j'ai soudainement poussé
mes couvertures et suis allé chercher
Perceval, qui était assis sur le coin
de mon bureau et m'observait
de ses yeux bienveillants.
Je l'ai enfoui avec moi sous les draps,
ça m'a fait du bien.
Je me suis endormi
en le serrant
contre moi.
Dans mon cœur,
il occupait toute
la place.

CHAPITRE 4

La risée de la classe

Il a plu toute la nuit. À ma fenêtre
et dans ma tête aussi. On n'était
que mardi et je trouvais déjà
la semaine longue. Maman
m'a proposé de m'accompagner
à l'école. Je lui ai dit que ce n'était
pas nécessaire. Elle m'a adressé
un sourire tendre, a passé la main
dans mes cheveux et a déposé
un baiser sur mon front. Elle a dit :
– Tu es un courageux petit chevalier.

J'ai enfilé mes bottes et ma veste
imperméable, attrapé mon sac
et mon parapluie, puis je suis sorti.

Dans mon ancienne vie, ma mère
me laissait toujours partir sans elle
à l'école, même depuis ma première
année. Je quittais la maison à 8 h 15.
Pierre-Luc, Jonathan et Xavier, qui
habitaient près de chez moi, venaient
me rejoindre et nous rigolions
tous les quatre sur le chemin.

Mais ils n'étaient plus là, mes amis.

Je me sentais bien seul.

Je n'avais envie de sauter
dans aucune des flaques sur ma route
ni de botter aucun caillou.

J'avais le cœur gros. Je pensais
à mes trois camarades qui, pendant

ce temps, marchaient sans doute
ensemble.

J'ai avancé péniblement sous
l'averse. Longtemps… Tout compte
fait, elle n'était peut-être pas
si proche, mon école.

Quand je suis finalement arrivé
à destination, il n'y avait personne
dans la cour. Tous les enfants se
trouvaient déjà à l'intérieur à cause
de la pluie. Les portes des classes
étaient encore grand ouvertes et
les enseignants accueillaient les élèves
qui s'installaient, le sourire aux lèvres.

Je me suis dirigé vers mon casier.
Étrangement, j'ai dû me hisser
sur la pointe des pieds pour atteindre
le crochet et suspendre ma veste.

Quand je me suis retourné, la fille
blonde qui s'était moquée de moi
la veille est passée en coup de vent.
Ce n'est pas la vitesse à laquelle elle
se déplaçait qui m'a le plus surpris,
mais sa taille ! Elle me dépassait
d'au moins une tête !

J'ai regardé autour de moi,
tout semblait avoir grandi ! Tout…
sauf moi !

Je suis entré dans ma classe et
j'ai remarqué que les pupitres
arrivaient environ à la hauteur de
mon nez. Que s'était-il donc passé ?
Je me suis pincé l'avant-bras – il
paraît que ça marche pour vérifier
si on rêve – et je me suis rendu
à l'évidence : je ne dormais pas.

Tout était réellement devenu
gigantesque ! J'étais sous le choc.

La cloche a sonné. Tout le monde
était déjà assis. En évitant de regarder
les élèves, je me suis dirigé vers
mon pupitre. En grimpant sur
le siège, je me suis aperçu que
la place juste derrière moi était vide.
La veille, je n'avais pas remarqué
qui l'occupait. Quand même…
Si elle avait été libre, il me semble
que je m'en serais aperçu…
Mais bon, je ne m'en suis pas
préoccupé outre mesure, les absences,
ça arrive.

– Très bien, a dit madame Manon,
maintenant que vous êtes tous là,
nous pouvons commencer.

J'ai levé la main pour signifier
à l'enseignante qu'elle faisait erreur :
– Non, madame, il manque quelqu'un.
– C'est vrai, on dirait bien que toi,
le Nouveau, tu n'es pas encore
arrivé ! a ricané le garçon à ma droite,
déclenchant une vague de rires
moqueurs.

L'enseignante lui a fait les gros yeux
et l'a réprimandé :
– Dans ma classe, Maxime Druon,
on nomme les gens par leur nom.
Je ne laisserais personne rire de toi,
et je n'accepterai que tu ne
te moques de personne.

Son intervention a eu l'effet
escompté, le calme est revenu.
En classe, j'étais protégé.

Madame Manon veillait sur moi. Mais, dans la cour, on m'avait rebaptisé. Désormais, je serais le Nouveau… J'étais devenu la risée de l'école.

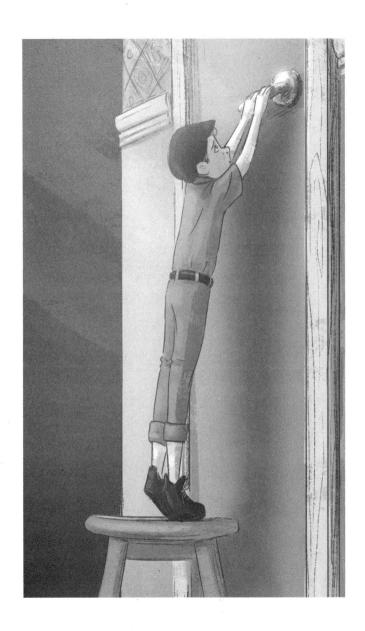

CHAPITRE 5

Sous les regards

Le soir, lorsque je me couchais dans mon lit, Perceval prenait toute la place à côté de moi. Tout avait grandi. Au début, cet étrange phénomène se limitait à l'école et au trajet qui y menait. Mais maintenant, c'était vrai partout, même à la maison. Désormais, pour sortir de chez moi, je devais tirer un tabouret pour atteindre la poignée de la porte. Sur le chemin

de l'école, je devais faire des pauses
pour reprendre des forces tant
la route était longue. En classe,
il me fallait user d'adresse pour
grimper sur ma chaise. J'écoutais
les explications de madame Manon
sans la voir, car mon pupitre
me bloquait la vue. Je n'osais plus
lever la main, non seulement de peur
qu'on se moque de moi, mais aussi
parce que je savais que, de toute
manière, elle ne dépassait plus
le dessus de la table. Personne ne
m'adressait la parole. J'étais si petit
que je passais sous les regards.

J'ai tout essayé pour renverser
la situation. Je me suis dit que
je devais faire davantage d'efforts

pour grandir. J'ai mangé les croûtes
de mes tartines et presque tous
les légumes, je me suis couché tôt,
je n'ai presque plus regardé la télé,
mais rien n'y a fait. À table, je
n'arrivais plus à finir mon assiette.
Maman me reprochait de manquer
d'appétit… Si elle avait vu la taille
des portions qu'elle me servait !
Et il y avait aussi cette fourchette
démesurément grande qui était
si lourde ! Il me fallait la prendre
à deux mains pour m'en servir.
Pourtant, mes parents devaient bien
réaliser comme moi que tout autour
grandissait ! Au lieu de s'en inquiéter,
ils ont fait leur possible pour que
je ne voie pas la différence.

Ils me traitaient comme avant.
Maman me répétait toujours
les mêmes mots doux et moi je faisais
semblant d'être rassuré. Et quand
papa me prenait dans ses bras,
je feignais de ne pas avoir le vertige.

CHAPITRE 6

Le vingtième élève

Dans ma classe, il se produisait un autre phénomène étrange que je semblais être le seul à remarquer. Tous les matins, quand madame Manon faisait l'appel des élèves, elle nommait vingt noms. (C'est ainsi que j'ai appris que le tortionnaire à ma droite s'appelait Maxime Druon et la blonde à ma gauche Cacendre Lajoie.) Mais je ne comptais chaque

fois que dix-neuf élèves : le pupitre
derrière moi était toujours inoccupé.
Au début, j'ai voulu le signaler
à mon enseignante, mais j'ai bien vite
compris que je m'attirerais
des moqueries.

Cependant, un jour, alors que
je faisais les exercices de math donnés
par madame Manon, un événement
a changé ma vie. Vu la taille
de ma chaise, je m'y sentais comme
si j'étais assis directement sur le sol.
J'allongeais donc les jambes droit
devant moi et je plaçais les cahiers ou
les feuillets sur mes cuisses, en guise
de pupitre. Bref, j'étais en train de
réaliser des calculs à la chaîne quand
j'ai entendu un objet rouler par terre

près de moi. J'ai déposé mon crayon et étiré le cou pour voir de quoi il s'agissait. Il y avait là, sur le sol, immobile au pied de ma chaise, une grosse bille en verre. Enfin, je la trouvais grosse, mais en réalité, elle avait une taille proportionnelle au reste de mon environnement.

Quelqu'un l'avait sans doute échappée par mégarde. Je n'y ai d'abord pas prêté tellement d'attention. Mais comme j'allais reprendre mon crayon, j'ai entendu une nouvelle bille rouler et l'ai vue apparaître dans mon champ de vision. Elle provenait de la rangée de pupitres derrière moi. Elle a terminé sa course en heurtant la première

dans un *TOC !* plutôt joyeux.
Ça m'a donné envie de sourire.
Pour une fois. Intrigué, j'ai décidé
d'aller y regarder de plus près.

De toute façon, je ne risquais pas
de déranger grand monde en quittant
ma place. Je me suis donc laissé glisser
le long de la patte de la chaise jusque
sur le plancher et me suis approché
des billes. Il s'agissait de sphères
parfaites, avec à l'intérieur de longues
spirales colorées qui étincelaient
dans la lumière. Elles étaient
énormes ! Elles atteignaient environ
la hauteur de mes chevilles.

Une troisième bille a jailli sous
la chaise inoccupée derrière
la mienne et a roulé vers moi.

Elle s'est arrêtée tout près, frôlant sans bruit les deux premières.

– Psst! Touche les billes! a chuchoté une voix, non loin.

J'ai cherché à voir d'où elle pouvait bien provenir, mais j'avais beau me dévisser la tête, je ne voyais qu'une forêt de souliers, de jambes, de pattes de chaises et de pupitres gigantesques. La voix a répété:

– Touche les billes!

Un peu craintif, je me suis penché pour poser ma main dessus. Mais plus j'approchais les doigts de leur surface, plus elles rapetissaient. Je me suis penché davantage, et elles ont encore diminué jusqu'à ce qu'elles atteignent – encore une fois, toute proportion gardée – une taille normale. J'ai enfin pu les saisir au creux de ma main.

Je n'avais encore jamais rien vécu d'aussi étrange.

Et ce n'était que le début.

Dans les hauteurs de la classe, la cloche a retenti et ça m'a fait sursauter. Comme à l'habitude, j'ai laissé la classe se vider. Je m'apprêtais à aller m'asseoir une fois de plus tout seul dans l'escalier de béton sur le côté de la cour, mais quand je me suis retourné, je suis tombé nez à nez avec un garçon de mon âge. Il avait la même taille que moi !

– C'est moi, le vingtième élève, a-t-il chuchoté en me dévisageant derrière ses lunettes. Suis-moi !

Il s'est dirigé vers la porte et est sorti à son tour.

Ne faisant ni une ni deux, je lui ai emboîté le pas.

Dans la cour, nous avons zigzagué entre les pieds des enfants, évité les ballons bondissants et les cordes à sauter avant de nous retrouver devant un buisson touffu planté contre un mur de l'école.
Là, le garçon a fait volte-face et, plongeant intensément son regard dans le mien, il m'a demandé :

— Es-tu prêt ?

J'ignorais à quoi je devais me préparer. À tout hasard, j'ai fait oui de la tête. Il a dit :

– Répète après moi : *Alazim boum boum !*

C'était un peu ridicule, mais comme il avait l'air vraiment, mais alors là, vraiment très sérieux, j'ai répété :

– Alazim boum boum !

Et je l'ai suivi derrière le buisson.

Nous étions deux garçons minuscules, assis à l'ombre d'un buisson géant, dans une école immense peuplée d'êtres gigantesques.

Merlin – c'était son nom – avait les cheveux roux, des taches de rousseur et de tout petits yeux derrière ses verres épais. Entre ses incisives supérieures, il y avait

un large espace qui attirait le regard.
Quand il parlait, il faisait de drôles
de mimiques et il zézayait un peu.
Bref, il avait tout ce qu'il fallait
pour qu'on se moque de lui.
Il m'a raconté que ses parents
adoraient les romans de chevalerie
et que c'est en l'honneur du célèbre
sorcier Merlin l'Enchanteur
qu'ils avaient choisi le prénom
de leur fils. Il a ajouté que c'était
probablement pour ça qu'il faisait, lui
aussi, l'objet des railleries de la classe,
et même des élèves plus vieux.
Mais ici, dans son repaire magique,
il trouvait la paix.

Tandis qu'il parlait, je remarquais
que la taille des choses autour de

nous semblait changer : le buisson
devenait plus petit et le mur de
l'école moins haut.

Je lui ai demandé :
— Comment ça se fait que c'est
la première fois que je te vois ?

Il a fait un signe de la main
et a répondu :
— Ne t'inquiète pas pour ça,
c'est normal, je suis invisible.

Voilà.

C'était normal.

Il était invisible.

La cloche a sonné pour
la deuxième fois. Il fallait aller se
mettre en rang. Juste avant de sortir
de derrière le buisson, Merlin m'a dit :

— Maintenant, rends-moi mes billes,
s'il te plaît.

Je lui ai remis les trois sphères
de verre coloré et nous avons rejoint
les autres dans la cour. Merlin
marchait devant moi sans
se retourner. Après quelques pas,
j'ai vu une lumière traverser
son corps. Quelques mètres plus loin,
il avait complètement disparu.
Pour ma part, j'avais retrouvé
ma taille minuscule. J'ai alors repris
ma place à l'avant du rang.

***

Ce soir-là, quand ma mère
m'a demandé comment s'était passée

ma journée à l'école, je lui ai raconté
ma rencontre avec Merlin. Lorsque
je lui ai fait part de l'invisibilité
de mon nouvel ami, elle m'a adressé
un sourire tendre avant d'ajouter :
– C'est bien d'avoir des amis,
mon petit loup, peu importe
qu'ils soient différents. Ce ne sont pas
les défauts qui font les personnes,
ce sont leurs qualités.

Maman ne l'a pas mentionné,
mais j'ai vu dans son regard qu'elle
était contente. Pour la première fois
depuis le déménagement, je n'avais
plus le cœur serré en pensant
à Pierre-Luc, Jonathan et Xavier.

Au souper, elle a fait attention
de ne pas trop remplir mon assiette,

si bien que j'ai pu la finir, choux
de Bruxelles y compris.

Après les leçons et les devoirs,
comme à l'habitude, j'ai fait
ma toilette, j'ai brossé mes dents, puis
je suis monté me coucher. Perceval
m'attendait sagement sur mon lit.
Il était encore énorme, mais j'ai tout
de même pu m'asseoir à côté de lui
et lui faire part de ma rencontre avec
Merlin. Puis, j'ai eu comme un éclair
de génie. J'ai filé dans le garde-robe
et j'ai farfouillé parmi mes boîtes de
jouets. En tassant les différents objets,
j'ai enfin trouvé ce que je cherchais :
un sac en velours rouge, rempli
de billes. Elles appartenaient
à mon grand-père quand il avait   .

mon âge, et il me les avait offertes quelques années plus tôt. Je n'avais encore jamais joué avec.

Sous les couvertures, après que maman m'eut souhaité bonne nuit et qu'elle eut déposé un baiser sur mon front, bref, une fois la porte refermée et la lumière éteinte, Perceval m'a enlacé dans ses énormes bras velus pendant que je serrais dans ma main mon trésor de verre.

CHAPITRE 7

La bataille

Le lendemain et les jours suivants, je me suis rendu à l'école en emportant le sac de velours rouge. Nous nous réunissions, Merlin et moi, derrière le buisson secret et, à l'abri des regards, nous jouions en discutant des propriétés magiques de nos boules de verre. Il est vrai que les trois billes de Merlin nous avaient permis de faire connaissance et que, depuis que j'avais retrouvé celles que

m'avaient offertes mon grand-père,
ma vie à l'école n'était plus
aussi difficile. Même les murs
de la classe, ma chaise et mon pupitre
ne me paraissaient plus aussi hauts.
Bref, parmi leurs nombreux pouvoirs,
ces billes semblaient bien avoir celui
de me faire grandir. Enfin !

Avec Merlin, nous avons convenu
de former une confrérie secrète,
lui et moi : la Guilde des chevaliers
des billes de verre. Et les moments
que nous passions ensemble étaient
vraiment super.

Mais le mois d'octobre est arrivé
et a emporté les feuilles des arbres.

Même s'il était magique,
notre buisson obéissait tout de même

au cycle des saisons. Rapidement, nous avons perdu notre cachette feuillue et seules quelques branches frêles nous abritaient maintenant des regards. Sans vraiment nous en rendre compte, nous étions redevenus des cibles.

Nous l'avons compris le jour de la première neige.

***

Ce matin-là, quand nous sommes sortis pour la récré, le sol était couvert d'un épais tapis blanc, froid et humide. Les élèves de la classe se sont élancés dans la cour en criant leur joie à tue-tête. Merlin et moi

nous sommes frayé un chemin
jusqu'à notre repaire secret.
Des boules de neige volaient
dans tous les sens, au grand dam
des surveillantes. Elles avaient beau
rappeler à l'ordre les élèves turbulents,
tous se laissaient emporter
par la fièvre de l'hiver.

Nous venions tout juste
de nous installer dans notre cachette,
où nous étions occupés à tasser
la neige afin de préparer notre surface
de jeu, lorsqu'une énorme boule
de neige mouillée éclata sur la tête
de mon ami, lui faisant perdre
à la fois sa tuque et ses lunettes.
À peine avait-il eu le temps

de se pencher pour les récupérer
qu'une volée de projectiles glacés
s'abattait sur nous. Sans même
me retourner, je savais quels étaient
les auteurs de cette attaque sournoise.

– Tiens! C'est ici que tu te caches,
le Nouveau!

Druon était là, accompagné
des autres élèves de la classe.

Je me suis levé et lui ai lancé
d'un trait :

– Laisse-nous tranquilles, Maxime
Druon! On ne t'a rien fait!

Il a semblé ébranlé sur le coup
– peut-être a-t-il été surpris
par le ton de ma réplique –, mais
quelques secondes plus tard, il s'est
penché et a ramassé de la neige par

terre. Il en a fait une boule
et l'a lancée vers nous en criant :

– À l'attaque !

Et tout le monde l'a imité.
Sauf Cacendre Lajoie, qui a laissé
tomber la neige qu'elle tenait dans
sa mitaine et est demeurée immobile
à regarder la scène, avant de baisser
les yeux et de s'éloigner.

Merlin et moi, nous avons essuyé
un barrage en règle.

Quand nous sommes rentrés
en classe, nous étions trempés
jusqu'aux os. Les lunettes de mon
ami étaient tordues et il avait perdu
un verre sous la force d'un des impacts.

Bien sûr, nous en avons parlé
à la maison et nos parents ont réagi.

Druon et d'autres élèves ont été
convoqués par le directeur de l'école.
Ils ont été réprimandés, et Merlin
et moi avons eu droit à des excuses.

Notre bourreau serait suspendu
pendant quelques jours, histoire
de bien réfléchir à l'action violente
qu'il avait déclenchée.

C'était ça de gagné.

CHAPITRE 8

Cacendrillon

Dès le lendemain, je me sentais
plus grand et plus fort. J'arrivais
même à voir le tableau où madame
Manon traçait des lettres et des
flèches à la craie et expliquait des
règles de grammaire. Encore mieux,
Merlin était maintenant visible et
avait été déplacé à côté de moi,
à la place de Maxime Druon,
justement, à cause de son trouble
de vision. On avait réparé ses lunettes

avec du ruban gommé, en attendant
qu'elles soient remplacées. Bien sûr,
je n'étais pas dupe. Je savais bien
que le géant Druon et son armée
n'étaient pas vaincus pour autant
et que s'il s'agissait d'une guerre,
ce n'en était que le début. Mais
j'étais certain que leur confiance
avait été ébranlée, à la fois parce que
j'avais su me lever et me tenir droit
devant eux et parce que leur geste
n'était pas resté impuni. Bref, j'étais
à la fois fier et craintif, j'attendais
la suite des choses.

Et la suite n'a pas tardé.
Elle est arrivée par la gauche.

Profitant que madame Manon nous
tournait le dos pour écrire quelque

chose au tableau, Cacendre a glissé
discrètement un bout de papier plié
en quatre sur mon pupitre. Je me suis
tout de suite étiré pour m'en saisir et,
dans la plus grande discrétion,
je l'ai ouvert pour découvrir
le message qu'il contenait. Dessus,
il était écrit : « Pardonne-moi.
Je suis désolée. Pour vrai. »

Et elle avait signé « Cacendrillon ».
Chacune des lettres était tracée
avec application dans une écriture
aux courbes fines et maîtrisées.
On pouvait même voir qu'elle avait
effacé un *r* à la fin de « désolée »
pour le remplacer par le *e* muet.
Elle s'était vraiment forcée pour bien

écrire son message. Ça m'a fait plaisir.
Très plaisir, même.

J'ai replié le bout de papier pour
le ranger secrètement dans mon étui
à crayons, puis je me suis tourné pour
lui sourire. Ses joues étaient rouges,
mais elle ne me regardait pas.

***

À la récréation, j'ai cherché
Cacendre partout dans la cour.
Je l'ai trouvée un peu en retrait,
adossée à un arbre, à l'écart
de son groupe d'amies occupées
à jouer. Elle paraissait songeuse
sous sa tuque rose, emmitouflée
dans son foulard en tricot.

Je me suis approché d'elle.

– Cacendrillon, c'est ton surnom ?

Ça m'avait tout de suite fait penser
à une princesse de conte de fées,
mais je n'ai pas cru bon de le lui dire.

– Mes parents m'appellent comme ça
de temps en temps.

Puis, comme si elle lisait dans
mes pensées, Cacendre a ajouté :

– Ils disent que je suis leur petite
princesse et que j'ai bon cœur,
comme Cendrillon. Mais ce n'est pas
vrai.

Et elle a arrêté de parler.

Au bout d'un moment,
j'ai murmuré :

– Merci pour le mot de tout
à l'heure.

— C'est mes parents qui m'ont
demandé de l'écrire, a dit Cacendre
en évitant mon regard. Pour
m'excuser. Parce qu'on s'était
attaqués à deux amis sans défense.

Elle a dit « deux amis ».

Je sais bien que c'est un peu
une habitude de dire « amis » à l'école,
mais quand même, c'était la première
fois que j'entendais ce mot pour
parler de moi depuis mon arrivée ici.

J'ai voulu la rassurer :
— Mais tu n'as pas fait comme
les autres. Tu n'en as pas lancé,
de boules de neige, toi. Je l'ai bien
vu.

Cacendre n'a pas répondu tout
de suite. Elle a d'abord fixé le bout

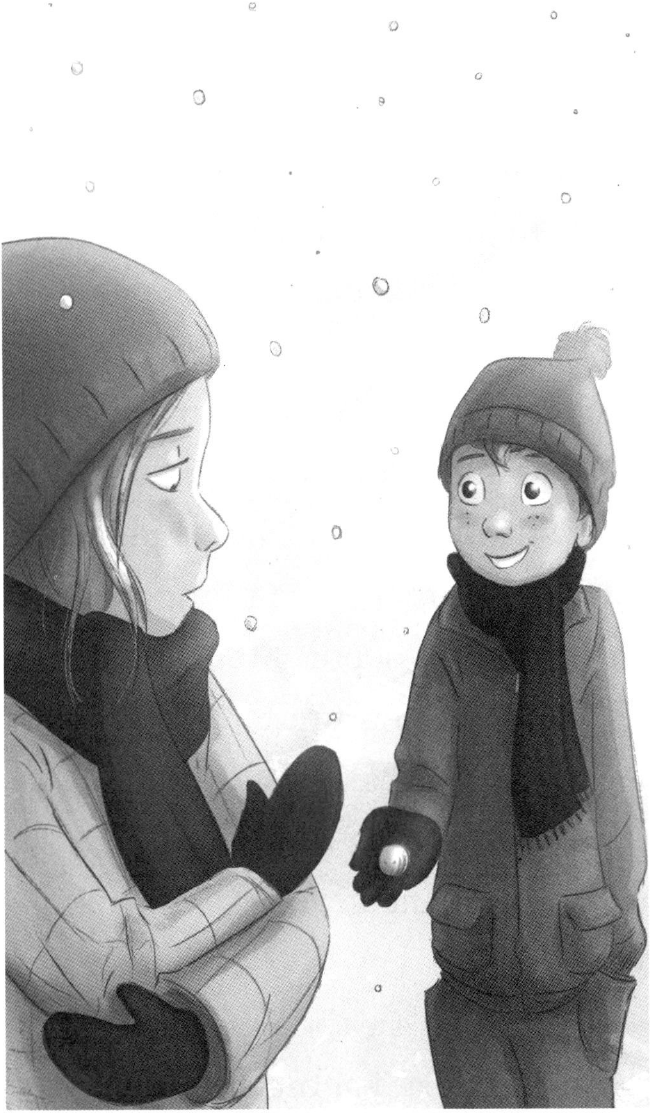

de ses bottes et a poussé une motte
de neige du bout du pied.

– C'est vrai, je trouvais que ce n'était
pas juste, a-t-elle fini par convenir.
Maintenant, laisse-moi, ça me gêne
un peu qu'on nous voie ensemble
comme ça.

J'ai fait mine de ne pas entendre
cette dernière remarque. J'ai fouillé
dans ma poche pour trouver mon sac
de billes. J'en ai saisi une au hasard
et je la lui ai tendue en disant :

– Prends ça, c'est pour te remercier
d'avoir été gentille avec moi.

Elle a fait un geste de refus
de la main et a protesté.

– Garde-la, je ne joue pas aux billes.

Mais, sans tenir compte de
son objection, j'ai glissé la perle
de verre dans la poche de son manteau
au moment précis où elle se
retournait pour s'éloigner.
Étonnamment, je n'ai presque pas
eu besoin d'étirer mon bras pour
atteindre sa poche. J'ai souri et
j'ai chuchoté «Alazim boum boum!»
pour moi-même, avant de lui lancer:
– À la prochaine, Cacendrillon!

***

Les jours qui ont suivi mon
échange avec Cacendre Lajoie m'ont
apporté la paix. Dans la cour, nous
pouvions nous promener librement,

Merlin et moi, et nos jeux n'avaient plus à être secrets. En classe, je me risquais même à poser des questions auxquelles madame Manon répondait avec plaisir. Et quand je saluais Cacendrillon, elle me renvoyait mes bonjours avec un sourire discret. Mais le plus important de tout, c'était que j'avais retrouvé ma taille d'avant et que mon ami n'avait plus besoin de disparaître. Nous avions retrouvé une existence normale, lui et moi.

Le vendredi, Merlin a reçu de nouvelles lunettes avec des verres moins épais que les précédents. Bien sûr, ça n'a pas changé son allure du tout au tout, mais quand même, c'était mieux.

La semaine finissait bien.

À la sortie des classes, j'ai salué Merlin en lançant : « À lundi ! » Il a fait de même et je suis rentré chez moi en quelques minutes à peine.

Là aussi tout avait retrouvé sa taille normale.

Mais le soir, en fixant la lune au plafond de ma chambre avec Perceval, j'ai senti l'inquiétude m'envahir. Je savais que la paix était fragile et qu'elle serait compromise par le retour de Maxime Druon, prévu pour le lundi suivant. Il fallait prévoir tous les scénarios. Dont celui d'une confrontation. Bref, j'ai passé la fin de semaine avec de drôles de papillons dans l'estomac.

CHAPITRE 9

Toute une armée

Le réveil a sonné, c'était déjà lundi.
Comme d'habitude, j'ai avalé
mes céréales et mon verre de jus,
j'ai brossé mes dents et j'ai embrassé
maman. Papa était déjà parti
au travail.

Sur le chemin de l'école,
je ne me suis pas senti bien.
L'inquiétude qui m'avait habité
tout le week-end s'était changée
en frayeur.

Je commençais à redouter
sérieusement le moment où
je croiserais Druon. Mais bon,
j'ai pris mon courage à deux mains
et je me suis dit qu'il fallait bien faire
face à son destin.

En arrivant dans la cour, j'ai aperçu
Merlin et Cacendre qui discutaient.
Il y avait aussi d'autres élèves autour.
J'ai accouru auprès de mes amis
pour voir si tout allait bien. Je voulais
m'assurer qu'ils n'étaient pas victimes
d'un mauvais tour et que personne
ne leur voulait de mal. Mais comme
j'arrivais à leur hauteur, la cloche s'est
fait entendre et j'ai pris mon rang
juste devant Merlin. Je me suis
retourné pour lui demander :

– Est-ce que tout va bien?

Il a fait signe que oui. Maxime
Druon, lui, s'était installé à sa place
habituelle, tout à l'arrière, en silence
comme tout le monde. Il me fusillait
du regard, c'était à glacer le sang.

Et le rang s'est mis en route
vers notre local.

La marche m'a semblé
interminable.

Les papillons dans mon ventre
s'étaient remis à battre des ailes
et voletaient dans tous les sens.
J'étais affolé, mais je luttais pour
garder mon calme. Au moment
de suspendre mon manteau
au crochet de mon casier, j'ai vu

l'ombre gigantesque de Druon
se dessiner sur le mur.

— Je n'ai pas fini avec toi,
le Nouveau ! a-t-il clamé.

Je me suis retourné. Il était énorme
et se tenait au centre de tous
les élèves de ma classe qui s'étaient
massés en demi-cercle autour
de nous. Comme il allait faire un pas
dans ma direction, Cacendre et
Merlin se sont détachés du groupe.

— Au contraire, Maxime Druon,
a fait Cacendre, qui, sous la blondeur
de ses cheveux, osait défier le géant
du regard.

Merlin a ouvert la bouche à son tour.
Sous le coup de l'émotion, ses paroles
se sont coincées dans sa gorge et,

pour tout discours, il n'a pu que crier, des trémolos dans la voix :

– Alazim boum boum !

Ce faisant, il a tiré de sa poche son sac de billes et a versé celles-ci sur le sol entre Druon et moi. Cacendre l'a imité en répandant, elle aussi, un paquet de sphères colorées par terre. Puis, ç'a été Aziz. Et Hubert. Et Joël. Et Alexanne, Ariane, Isabelle, Alicia, Félix, Nathan. Même madame Manon a fini par lancer une poignée de perles en verre entre nos pieds. Les billes fusaient de partout, faisant sur le plancher de l'école un énorme tapis coloré et brillant. Quand Maxime Druon a voulu faire un pas dans ma direction, il a dû lutter pour

maintenir son équilibre, si bien qu'il s'est résigné à demeurer figé sur place.

Madame Manon a pris la parole :

– Ton manège est fini, Maxime. Nous sommes tous membres de la Guilde des chevaliers des billes de verre maintenant. Si tu affrontes l'un de nous, tu devras nous affronter tous !

Druon ne savait plus où donner de la tête. Il cherchait, dans le groupe, quelqu'un qui aurait pu le soutenir, lui redonner un peu de force, mais au lieu de trouver des appuis il ne croisait que des regards sévères et déterminés. Alors, oui, je l'ai vu – je le jurerais sur la tête de Perceval ! – rapetisser et prendre soudainement des airs de petit garçon ordinaire.

CHAPITRE 10

Mon royaume

Cet épisode a été le dernier affrontement entre Druon et moi. Depuis ce jour, la paix est revenue dans notre classe. Bien sûr, tout le monde n'est pas ami tout le temps. Il arrive qu'on se chamaille et que des disputes éclatent au sein du groupe. Mais personne n'est la cible d'élèves mal intentionnés et les Chevaliers des billes de verre s'assurent de faire régner le respect.

Elle n'est pas parfaite, cette école, mais je m'y sens désormais chez moi. C'est *mon* école.

Aujourd'hui, c'était la fin des classes. Une joyeuse pagaille régnait partout. Normal, à la veille des grandes vacances !

Madame Manon a distribué une bille à chacun de ses élèves en nous souhaitant un bel été et un retour en forme pour l'automne prochain.

Dans la cohue des adieux, Merlin et Cacendre sont venus me trouver et nous avons échangé nos numéros de téléphone. Après les avoir salués,

je leur ai dit « À bientôt », puis je me
suis éloigné avec mon sac sur le dos.

Alors que je m'en allais, j'ai
entendu mes amis crier en chœur :
– Surtout, n'oublie pas de téléphoner,
Tristan !

Sûr que non, je n'oublierais pas !
J'avais, dans ma poche, en plus
de mon sac de billes, un bout
de papier sur lequel étaient inscrites
deux formules magiques :
leurs numéros de téléphone.

Je me suis retourné pour
leur envoyer la main. Et je suis rentré
chez moi en quelques minutes,
le cœur léger. Le chemin m'a paru
tellement court, j'avais désormais
aux pieds des bottes de sept lieues !

Étienne Poirier

C'est en regardant mon fils s'éloigner avec son sac sur le dos que m'est venue l'idée de cette histoire. C'était la fin du mois d'août et il se rendait pour la toute première fois dans sa nouvelle école. Il était inquiet et moi je l'étais certainement autant que lui. Normal, il n'y connaissait absolument personne ! Et il laissait derrière lui, à regret, toute une ribambelle d'amis. Heureusement, les choses se sont bien passées et il s'est vite acclimaté à ce nouvel environnement. Mais tous les enfants n'ont pas sa chance. Certains ont même besoin d'un peu d'aide…

Après *La clé de la nuit* (sélectionné par Communication-Jeunesse en 2009), *L'envol du pygargue* (finaliste au prix Québec/Wallonie-Bruxelles de littérature de jeunesse en 2011), *Qu'est-ce qui fait courir Mamadi?* (sélectionné par Communication-Jeunesse en 2014, finaliste au Prix des nouvelles voix de la littérature en 2014, au Prix jeunesse des libraires du Québec en 2014 et au prix littéraire Hackmatack – le choix des jeunes en 2015) et *Niska* (2016), *Tristan au pays des géants* est mon cinquième roman pour la jeunesse.

Catalogage avant publication
de Bibliothèque et Archives
nationales du Québec et
Bibliothèque et Archives Canada

Poirier, Étienne, 1974–

Tristan au pays des géants

(Grand roman Dominique et compagnie)
Pour enfants de 7 ans et plus.

ISBN 978-2-89739-432-5
ISBN numérique 978-2-89739-433-2

I. Gendron, Sabrina, 1984– . II. Titre.

PS8631.O369T74 2016   jC843'.6
C2016-941171-0
PS9631.O369T74 2016

Direction littéraire et artistique :
Agnès Huguet
Conception graphique :
Nancy Jacques
Révision et correction :
Céline Vangheluwe

Droits et permissions :
Barbara Creary
Service aux collectivités :
espacepedagogique@
dominiqueetcompagnie.com
Service aux lecteurs : serviceclient@
editionsheritage.com

Dépôt légal : 3e trimestre 2016
Bibliothèque et Archives
nationales du Québec
Bibliothèque et Archives Canada

Dominique et compagnie
1101, avenue Victoria
Saint-Lambert (Québec) J4R 1P8
Téléphone : 514 875-0327
Télécopieur : 450 672-5448
dominiqueetcompagnie
@editionsheritage.com
dominiqueetcompagnie.com

Imprimé au Canada

Nous reconnaissons l'aide financière
du gouvernement du Canada par
l'entremise du Fonds du livre du Canada.

Nous reconnaissons l'aide financière du
gouvernement du Québec par l'entremise
du Programme de crédit d'impôt –SODEC –
Programme d'aide à l'édition de livres.

Nous remercions le Conseil des arts
du Canada de l'aide accordée
à notre programme de publication.

Financé par le
gouvernement
du Canada